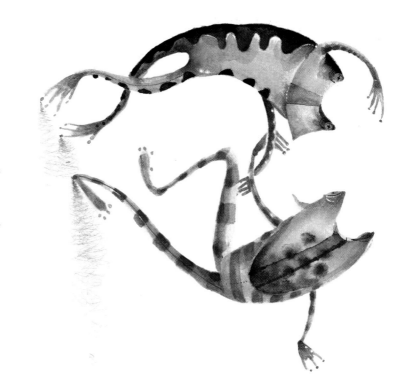

A Libe y Mael
María Elena

A Jack y Damián
Jeana

A Yara, mi sapita adorada
Yaz

En busca del sapito dorado
In search of the Golden Toad

**Colección Pachanga Kids
Costa Rica**

Productor Ejecutivo: Luciano Capelli
Diseño Gráfico: María Elena Valdez
Asesoría: Centro Científico Tropical (CCT)

© del texto, de la traducción y de las ilustraciones:
Producciones del Río Nevado, S.A.
Pachanga Kids Costa Rica
Apdo 11732-1000 San José, Costa Rica
Tel (506) 22 25 24 92 / 22 80 25 21
Fax (506) 22 53 75 65

Primera edición – Noviembre 2012 - 2,000 ejemplares
Impreso en Grafos, Costa Rica

863.44
R823p

Ross Lemus, Yazmín
En busca del sapito dorado = In search of the Golden
Toad / Yazmín Ross Lemus ; il. por María Elena Valdez;
tr. por Jeana Paul-Ureña. – 1a ed. – San José, Costa Rica:
Producciones del Río Nevado, 2012.
28 p. : 21 x 23 cm (Colección: Pachanga Kids, No. 7)

ISBN: 978-9930-9409-1-4

1. LITERATURA INFANTIL.   2. CUENTOS.
3. LITERATURA COSTARRICENSE.   I. Valdez, María Elena, il.
II. Ureña-Paul, Jeana, tr.   III. Título.

En busca del sapito dorado

In Search of the Golden Toad

Cuento basado en la tradición oral bribri

Based on Bribri oral tradition

Escribe *Yazmín Ross*

Ilustra *María Elena Valdez*

Translated by Jeana Paul-Ureña

Cuenta la leyenda que hace mucho,
mucho tiempo, cuando nada existía,
los sapitos estaban reunidos
alrededor de una gran piedra,
que hacía ruidos muy extraños
en lo alto de una montaña.

Legend has it that a long,
long time ago, when nothing else existed,
the toads were gathered
high in the mountain
around a large round stone
that made strange noises.

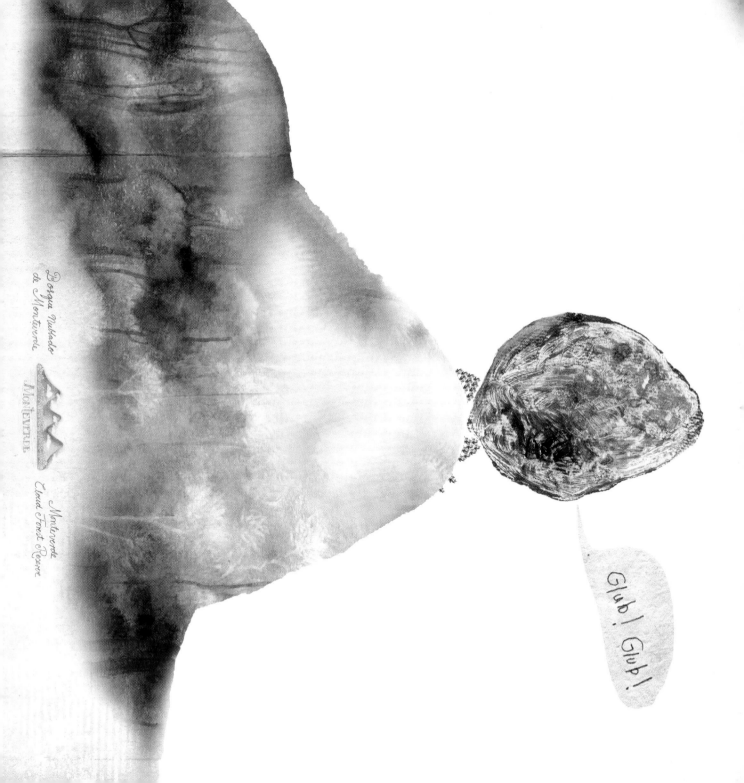

MAP
ATLÁNTICO

Casa de los sapitos

Conchinchina

MAP
PACÍFICO

Sibú, el dios creador, ordenó a los sapitos cuidar aquella roca y no apartarse nunca, nunca de ella, pues si la piedra se rompía, sus planes se irían a la Conchinchina. Los sapitos eran todos iguales, todos del mismo color, para que nadie los descubriera mientras cumplían tan importante misión.

Sibú, the creator god, had ordered the little toads to care for that rock, and never, ever leave it alone. If the rock were to break, all of Sibú's plans would go down the drain. The little toads were all alike and all the same color so no one would discover them as they completed their important mission.

La piedra crecía y crecía un poco cada día.
Los sapitos la sujetaron con todas sus fuerzas y con toda clase de muecas.
De aquel esfuerzo descomunal,
los ojos se saltaron, las patas se abrieron como paraguas
y les salieron globos en la garganta.

Evolucion del sapito.-

I

II

The stone grew and grew a little everyday.
The little toads held the stone with all their might, making faces...
Their feet popped open, and their
Their eyes bugged out! Suddenly they had umbrellas on their
cheeks puffed out! Suddenly they had umbrellas on their
feet and balloons on their throats!

III

IV

Croak, Croak!

Plin!

Plap!

¡Plop!

Los sapitos tenían sueño, tenían hambre,
pero no podían alejarse ni un instante.
Una nube de mosquitos se acercó.
Los mosquitos muy malvados en sus caras
se burlaron. Los sapitos no aguantaron más
y ¡adiós misión!

The little toads were sleepy and hungry,
but they didn't move an inch.
A cloud of mosquitoes approached.
These silly flies teased the little toads
until they couldn't stand it any longer.
Goodbye mission!

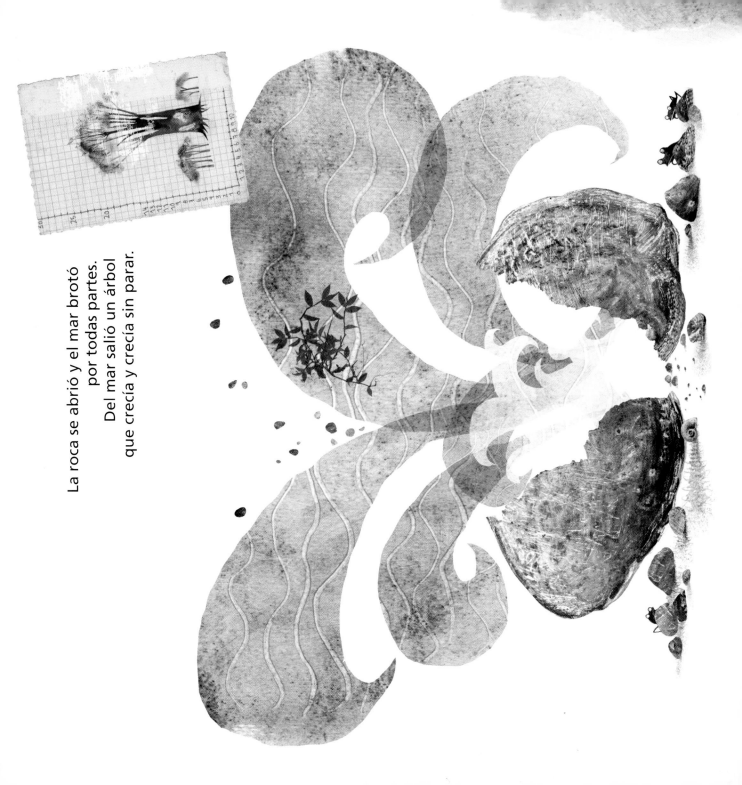

La roca se abrió y el mar brotó
por todas partes.
Del mar salió un árbol
que crecía y crecía sin parar.

Then the rock broke open and...
the sea spilled out everywhere!
Up from the sea a tree grew
and grew without stopping.

El árbol era tan inmenso como todo en ese tiempo
y estaba a punto de romper el cielo.
Asustado, Sibú mandó a las loras y los tucanes
a cortar las ramas altas con sus picos
para que las estrellas al suelo no cayeran.

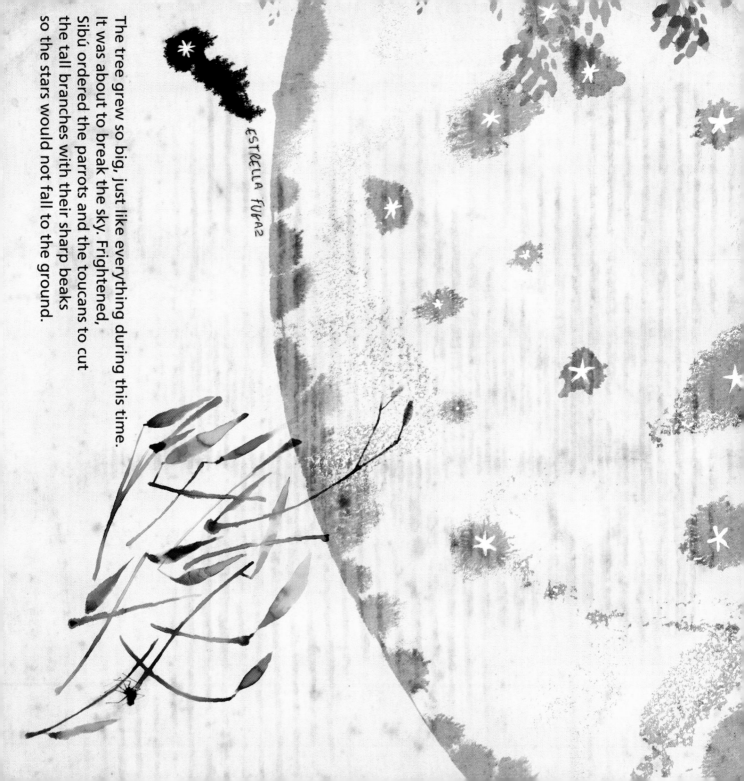

The tree grew so big, just like everything during this time.
It was about to break the sky. Frightened,
Sibú ordered the parrots and the toucans to cut
the tall branches with their sharp beaks
so the stars would not fall to the ground.

ESTRELLA FUGAZ

De pronto el árbol hizo ¡crack! y al agua fue a parar.
Fue así que las hojas se convirtieron en peces,
las loras en tortugas, las arañas en pulpos,
las mariposas en mantarayas.
Sube que sube, moja que moja,
el mar siguió creciendo como todo en ese tiempo.

Suddenly the tree made a cracking sound and into the
water it fell down. This was how the leaves turned
into fish, parrots into turtles, spiders into octopuses,
and butterflies into stingrays.
Rising higher and higher, covering more and more,
the sea kept growing, like everything during this time.

Tratando de salvarse,
los sapitos saltaron por todas partes.
Salta que salta, brinca que brinca,
cada uno tomó su color del lugar
donde cayó y así la tierra se ensapó.

Trying to save themselves, the little toads
were jumping here and there,
higher and farther, and turning colors
to match the spot where they fell.
Soon the world filled with colorful toads.

RANITA VENENOSA
GRANULAR POISON FROG

ろ Oophaga granuliferus

SPADARANA PROSOBLEPON
RANA ESMERALDA DE VIDRIO
01
EMERALD GLASS FROG
COSTA RICA

STRAWBERRY DARK FROG
87 (OOPHAGA PUMILIO)

RANITA VENENOSA ROJA
BLEU JEANS

FEB83
INCILIUS VALLICEPS
34
GULF COAST TOAD

SAPO GOLFEÑO

Parachuting red-eyed leaf frog
Agalychnis saltator

Rana paracaidista
de ojos rojos

TALAMANCA ROCKET FROG.

ALLOBATES TALAMANCAE

RANA COHETE DE TALAMANCA

Masked tree frog

Rana enmascarada de árbol

(Smilisca phaeota)

(Chaunus marinus) OCT 82N6
13

Giant toad

Sapo gigante

Los que saltaron a los árboles, verdes quedaron. Algunos no saltaron a tiempo y se mojaron de azul la rabadilla. Otros encontraron disfraces muy vistosos o se volvieron venenosos. Pero hubo uno pequeñito y distraído que en una pepita de oro se sentó a esperar que pasara la tormenta multicolor.

The frogs that jumped into the trees turned green. Some didn't jump in time and the sea turned their bottoms blue. Others found bright, colorful, poisonous disguises. But there was one little, bitty, toad that sat on a golden seed, waiting for the colorful storm to pass.

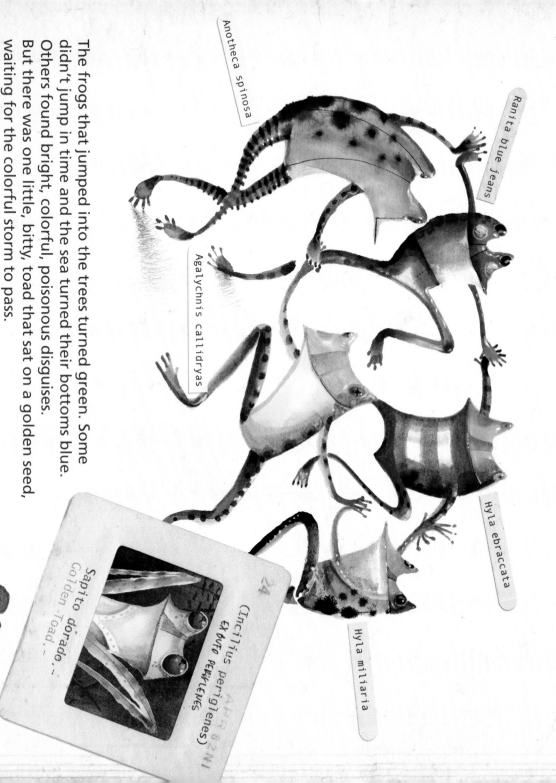

Anotheca spinosa

Ranita blue jeans

Agalychnis callidryas

Hyla ebraccata

Hyla miliaria

Sapito dorado
Golden Toad

24

(Incilius periglenes)
EXÍ₃UTO PEKU₃LENES

APR 82 WI

Un rayito de sol lo alcanzó de repente
y la piel se le hizo fosforescente.

Suddenly, a ray of golden sun touched
his skin and the little toad became phosphorescent.

Como era tan tímido y tan raro, el sapito dorado se fue a vivir a los bosques
más nublados, allá por Monteverde, donde el sol entra muy de vez en cuando y …

Since he was very shy and so unique, the Golden Toad went to live in Monteverde,
deep in the cloud forest, where the sun rarely shines, and …

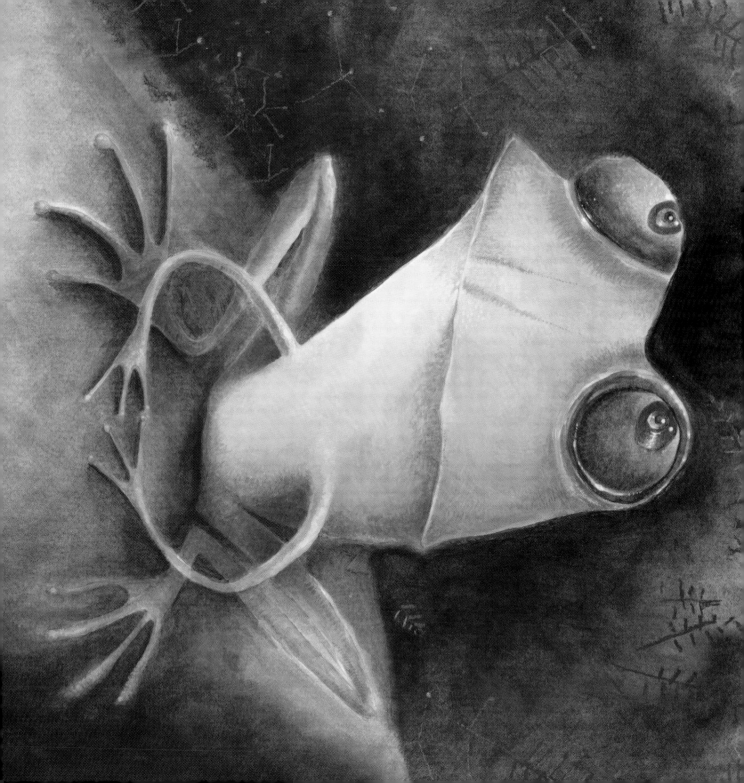

... solo se deja ver cuando está enamorado,
cuando salta de charca en charca buscando a Yara, su sapita adorada.
Un buen día, el sapito hizo un huequito en la tierra y desapareció...

... he only appears when he falls in love, as he
jumps from pond to pond in search of Yara, his beloved mate.
One day, the Golden Toad dug a hole in the ground and disappeared...

ABRIL
1989

Lunes	Martes	Miércoles	Jueves	Viernes	Sábado	Domingo
					1	2
3	4	5	6	7	8	9
10	11	12	13	14	15	16
17	18	19	20	21	22	23
24	25	26	27	28	29	30

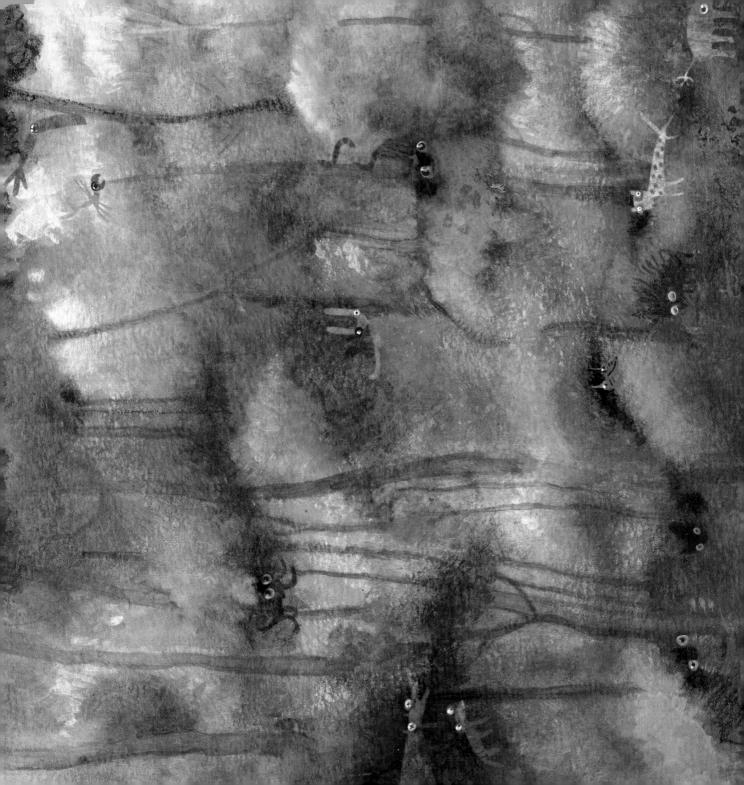